Roxane Turcotte

La perle des neiges

Éditions du Phœnix

Pour Simon.
Pour que tu aimes
l'hiver même quand
tu seras adulte !
x Roxane

À André Mauger et Denise Robitaille
Pour leur Perle des neiges

À Johanne Decelles
Pour l'harmonie

1

Le cataclysme

Pour arriver chez moi, je dois emprunter la route qui sillonne la forêt. Elle gravit ensuite le dos d'une colline. Au point culminant, on aperçoit l'église de mon village. Plusieurs maisons s'agglutinent autour d'elle. On dirait des abeilles au pied de leur reine. Les autres toits de Wapitico s'égrènent le long des rangs.

C'est pendant l'hiver que Wapitico est le plus beau. Surtout après une tempête. Je viens d'apprendre que je ne suis pas le seul à le penser.

Grand-père se désole de faire disparaître cette neige qui ressemble à un édredon tombé du ciel. Il prétend qu'un village tout blanc ferait naître la poésie au cœur des gens. Il ne l'a dit qu'à moi, car son métier, depuis toujours, c'est de déneiger Wapitico. Je crois bien que papi se fait vieux. Trop vieux pour son assourdissante machine. Seulement, il n'ose rien dire au maire. C'est une délicate affaire, car le maire, c'est son fils. C'est aussi mon père. Papi a toujours été le champion du déneigement, au volant de sa lionne. Grâce à lui, nous sommes les premiers à rouler sur le bitume après une grosse tempête. Et notre maire en est si fier ! Pauvre grand-père !

J'ai rêvé, la nuit dernière, qu'un sorcier bienveillant jetait une poudre magique sur Wapitico. Tout s'arrangeait.

Ce matin, le téléphone n'arrête pas de sonner à la maison. Tout le monde veut parler à papa qui n'est pas bien réveillé. Les voix me parviennent et se mêlent au crépitement de mes céréales baignant dans le lait. Je tends l'oreille.

— Un cataclysme ! vocifère le boulanger.

— C'est l'apocalypse, monsieur le maire ! rugit la pharmacienne.

— Une catastrophe ! crie le boucher sur une autre ligne.

Papa blêmit. En constatant les dégâts par la grande fenêtre du salon, il bleuit avant de tourner au violet.

— J'attends des explications, déclare le boucher, au bout du fil, impatient.

— Je… c'est parce que… je…, bredouille papa, les yeux rivés sur la route immaculée, sans aucune trace de roues.

— Cours voir Roméo, conseille ma mère, en lui mettant sous le nez une paire de raquettes poussiéreuses.

— Armande, tu n'y penses pas ! Moi, le maire de Wapitico, chaussé comme un coureur des bois.

— C'est ridicule, en effet, mon chéri, mais vas-tu te rendre chez ton père en bateau ? Nicolas, remue-toi et accompagne ton père, me dit-elle.

Ma mère confond immanquablement réflexion et inattention. Elle apprendra tôt ou tard que, mine de rien, son fils peut échafauder des plans.

Papa maugrée tout le long de la route, alors qu'il se dirige vers le garage municipal où nous allons rejoindre grand-père. Je ne l'écoute pas. Je flotte sur mes raquettes. C'est encore plus grisant après une grosse tempête. J'ai l'impression d'être l'un de ces insectes que je regarde glisser sur l'eau, l'été.

Sur les lieux, nous repérons le grand manitou des chasse-neige, juché sur l'immense moteur de la lionne souffleuse. Papa a les jambes en équerre, comme s'il descendait d'un dromadaire.

— Vieux boulons et vieilles courroies ! dit grand-père en posant ses yeux bleus sur moi. C'est la catastrophe ! La souffleuse, la charrue et le camion refusent tous de démarrer.

— Mais c'est impossible ! dit papa, enragé. C'est du sabotage ! Il faut trouver une solution. As-tu vu dans quel état se trouve Wapitico ?

Grand-père me jette à nouveau un coup d'œil discret. Pendant que le maire et son père tentent de remettre les déneigeuses en marche, je file en douce voir si la folie envahit mon village.

2

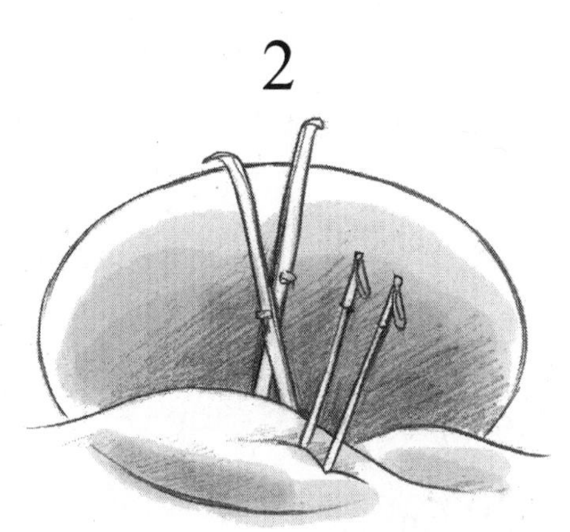

Des rimes dans l'air

Je descends le rang du Ruisseau. À première vue, la mauvaise humeur a fait boule de neige.

— Me voilà bien avancée, perchée sur une île comme une naufragée ! me lance notre pharmacienne, prisonnière d'une congère.

— Je serai en retard, foi d'épinard, déclare l'épicier, énervé, pendant que les roues de son camion tournent à vide dans les flocons.

— Des rimes dans l'air. Grand-père aurait-il raison ? La neige ferait-elle de nous des poètes ?

Le boulanger a extirpé un vieux tracteur de sa grange. La pâtissière est assise à ses côtés ; ils roulent à pleine vapeur pour que babas et baguettes prennent place sur les tablettes.

Les cristaux s'entêtent à les aveugler. Le véhicule commence à s'enfoncer.

— Si vous aviez mis vos lunettes de soleil, nous ne serions pas entrés tête première dans le fossé ! soupire la pâtissière, le chapeau de travers.

D'autres véhicules calent dans la neige comme des hippopotames dans une mare ou des baleines dans la mer.

Léger, raquettes aux pieds, je souris aux naufragés. Il se remet à neiger.

— Regardez dans les champs, lance la pâtissière. On dirait des oreilles de lapins géants.

— Qu'est-ce que c'est exactement ? demande l'épicier en clignant des yeux.

— Les cadeaux d'un généreux sorcier, que je leur dis.

— Nicolas, laisse la sorcellerie entre les pages de tes livres, me dit le boucher.

— Allons voir de plus près ce que c'est, propose le boulanger.

Sapristi, ce sont des skis ! Sont-ils tombés du ciel ? Il y a même de quoi se chausser, là, en bordure de la clôture.

— Quelque chose d'étrange se passe à Wapitico, je vous le dis, affirme la pâtissière.

— Ne pourrait-on pas se servir de cet équipement pour se rendre au village ? propose l'épicier.

— Aller au village… en skis ?

Comme le boulanger n'a rien d'autre à suggérer, l'idée est adoptée.

Je m'éloigne après avoir aidé quelques villageois à fixer les skis de randonnée à leurs bottines.

Je gravis la colline qui surplombe le village. Wapitico est féerique sous cette neige qui n'arrête pas de tomber. Pas besoin d'aller au cinéma pour admirer tant de beauté.

J'observe les skieurs de tout à l'heure qui traversent les champs en file indienne. J'ajuste mes jumelles. Les villageois ont l'air de s'amuser comme des enfants. Les lièvres et les porcs-épics s'interrogent-ils sur les rires qui fusent au-dessus de leurs terriers ? Il y a si longtemps que des hommes sont passés par là !

Je descends la rue Principale. Je croise le facteur. J'écarquille les yeux.

— J'aurais pu devenir acrobate, me dit-il.

Le facteur sur des échasses. C'est fantastique !

Il se dirige vers la maison de madame Berthier, voisine de l'école. Toujours d'humeur grincheuse, celle-là. Anatole, le copain de grand-père, a eu raison de ne pas l'épouser. Elle n'ouvre sa porte que pour recevoir son courrier ou pour se plaindre. Cette fois, pourtant, ô surprise, ses lèvres s'étirent dans un sourire.

Je m'empresse d'aller annoncer la nouvelle à Anatole.

3

Les rêveurs

J'arrive comme il sort de sa maison faite de pierres solides. C'est l'heure de traire ses vaches. J'adore le voir tirer le lait de ses grosses mains rugueuses, avec une douceur attentionnée. Un jour, nous avons vu des trayeuses électriques à la télé. Il a dit :

— A-t-on besoin de tous ces instruments qui nous rendent déments ?

Il a plus de chance que grand-père, Anatole. Le village et sa frénésie moderne ne l'atteignent plus depuis belle lurette.

— Pendant la nuit, lui dis-je, Wapitico a fait un saut dans le passé.

— Que racontes-tu là, petit ?

— Quelque chose est survenu au village. Toutes les déneigeuses sont brisées.

— Toutes ?

— Oui. Toutes.

— Comment est-ce possible ?

— Je ne sais pas.

Les mains de l'homme reprennent leur va-et-vient. Le lait jaillit dans le seau. Il comble le silence entre nous.

— Mais alors, comment les enfants ont-ils fait pour se rendre à l'école ? me demande-t-il, après un moment.

— Il n'y a pas d'école, Anatole. C'est super !

— Tu as tort, mon Nicolas. L'école, c'est important !

Les yeux d'Anatole viennent de s'assombrir. Je me mords la joue. Le copain de grand-père n'a jamais eu la chance d'étudier comme il le souhaitait. Pendant que je me confonds en excuses, il fixe un tas de vieilles planches au fond de son étable. Au bout d'un moment, un sourire espiègle étire sa moustache blanche.

— Aide-moi à apporter tout cela dans l'atelier.

Après avoir transporté les planches, il commence son ouvrage. Il cogne sur le bois, le scie et le rabote. Je l'aide comme je peux. Sabotine, la jument, vient nous observer par la fenêtre de l'écurie.

Anatole enfonce son dernier clou.

— Attelle-la, me lance-t-il. C'est elle qui va nous conduire.

Je passe un licou de cuir usé autour du cou de Sabotine. Elle hennit, secoue sa crinière noire.

Curieuses, les vaches ont cessé de ruminer. Leurs grands yeux brillent de curiosité. Elles se mettent à beugler. Pressentent-elles ce qui va se passer ?

— Mes belles poilues, en avez-vous assez d'être enfermées ?

Anatole comprend leurs mugissements : elles ont les pattes plus raides que des poteaux.

Il pousse la large porte, close depuis l'automne.

— Allez, dehors ! Ouvrez-nous le chemin.

La neige a cessé de tomber. Des rayons de soleil illuminent les sabots des bêtes. Elles clignent des paupières. Elles reniflent l'air.

Marguerite, la téméraire, avance la première. Ses pattes s'enfoncent jusqu'aux jarrets.

Je regarde Anatole qui me lance un clin d'œil confiant.

La meneuse penche sa lourde tête. Ses puissantes cornes soulèvent une nuée de flocons. Elle émet un puissant meuglement. Ses sœurs l'écoutent et la suivent. Aussitôt, leurs robustes sabots foulent l'épaisseur blanche, la tassent, la durcissent pour nous tracer le chemin.

Sabotine emboîte le pas. Elle tire fièrement le grand radeau d'hiver fabriqué tout à l'heure.

— Allons chercher mademoiselle Marie, la maîtresse des tout-petits, lance le copain de papi.

Le père Noël a-t-il plus fière allure qu'Anatole menant son traîneau? Et Sabotine, qu'a-t-elle à envier aux légendaires rennes du vingt-quatre décembre?

Les écoliers accourent vers notre carriole d'hiver, pressés d'y rejoindre leur maîtresse.

Les patins du traîneau glissent sur les cristaux glacés. La vieille carcasse de bois craque, Sabotine pète. Les éclats de rire des petits coulent en cascades.

— Je ne veux plus jamais qu'on déneige les routes de Wapitico, lance Léon, le plus petit des tout-petits de la classe de mademoiselle Marie.

4

La poudre magique

Je vais annoncer la nouvelle à papa. Je le retrouve noir comme de la suie, plongé dans les profondeurs des moteurs.

— Papa, passe-moi les pinces ! dit-il, énervé. Papa ?

Grand-père n’est plus avec lui.

Papa ne m'a pas vu. Je m'esquive. Je crois savoir où est papi. Il est caché au creux de sa demeure, dans les bois.

Je le rejoins bien vite. Courbé et pensif, il se chauffe auprès du feu. Lorsqu'il me voit entrer, une vague de larmes brouille ses yeux. Il m'ouvre grand ses bras. Je m'y précipite.

— Ton père est furieux, me dit-il tout en plantant ses yeux humides dans les miens. Il poursuit : les grains de sucre dans le réservoir des lionnes, c'est toi, n'est-ce pas ?

Je baisse les yeux.

« Ah, Nicolas… Qu'est-ce qui t'as pris de te prendre pour un sorcier ? Ta poudre n'est pas magique. Elle va t'attirer des ennuis. »

— Il fallait que quelqu'un prenne les choses en main, grand-père. Je sais que rêver ne suffit pas. Déjà, cet automne, tu n'entendais plus les mésanges dans les bois ni les souris grignoter dans tes murs. Tu restais sourd à Gribouille qui te demandait la porte. Les lionnes d'acier ont suffisamment grondé dans tes oreilles. Dans les miennes aussi, et dans celles de tous ceux qui aiment Wapitico. Parce que tu sais, grand-papa, au village les choses commencent à changer…

— Parle plus fort, me dit grand-père.

Je serre sa grosse main d'homme pour qu'elle cesse de trembler.

— Nicolas, ton père va faire réparer ses machines et tout va recommencer. Tu seras puni pour rien.

— Tu vois, grand-père, moi, je n'en suis pas si sûr, que je lui glisse à l'oreille.

Soudain, Gribouille se précipite à la fenêtre en agitant vivement la queue. Il a entendu quelqu'un venir. Papa entre dans la maison, raquettes aux pieds.

— Je n'ai jamais eu aussi honte de ma vie, lance-t-il en contenant à peine sa colère. Je n'ai pas réussi à faire fonctionner correctement une seule déneigeuse ! Elles grincent toutes comme si quelqu'un avait mis du sable dans leur engrenage ! Je n'y comprends rien. Et pas moyen de joindre un mécanicien !

Son regard tombe sur moi comme une lumière incandescente sur un papillon de nuit.

— Pourquoi rougis-tu ? me demande-t-il.

S'il entendait mon cœur cogner dans ma poitrine, il devinerait certainement mon trouble.

— C'est le feu de foyer qui lui donne chaud, se dépêche de répondre grand-père. Éloigne-toi, Nicolas, tu vas te roussir le derrière.

— J'ai tout de même réussi à avoir l'équipe de déneigement du village voisin, poursuit papa. D'ici deux ou trois jours, nous serons débarrassés de toute cette neige encombrante.

Grand-père et moi nous ne disons rien. Nous avons le cœur trop serré pour parler.

— Qu'est-ce que vous avez tous les deux à rester silencieux comme des chênes ?

— C'est la surprise, mon fils, dit grand-père. Ton efficacité ne cessera jamais de m'étonner.

Ces paroles ont un effet rassurant sur mon papa. Il bombe le torse comme chaque fois qu'il se sent flatté. Je peux me sentir tranquille. Enfin, pour le moment.

5

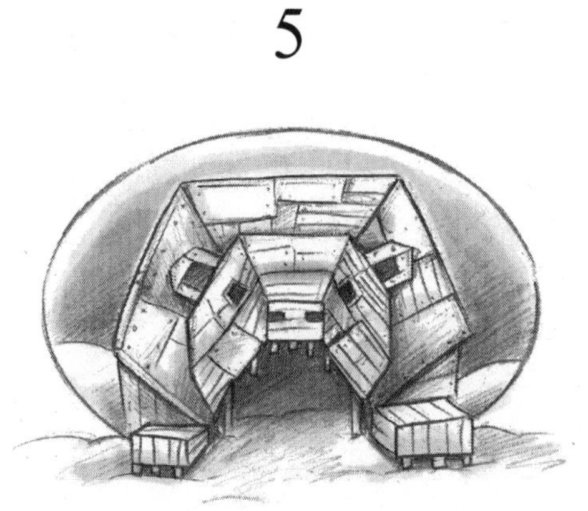

La bête d'hiver

Les jours suivants, mon papa demeure préoccupé comme un premier ministre. Il reste aveugle aux prouesses de notre facteur flamant. Il n'écoute pas davantage les joyeux grelots des vaches d'Anatole ou la cloche d'argent de

Sabotine. Le village est gai ; son maire, renfrogné.

La plupart des villageois se réunissent en secret, le soir, à l'école. Les enfants ont même la permission de se coucher tard. Ensemble, ils cherchent comment faire pour conserver leur beau village enneigé. J'ai dû faire preuve de beaucoup d'imagination pour m'échapper de la maison.

Ce soir, je me dirige, le cœur serré, vers la salle de réunion. Le grand déneigement du village est prévu pour demain. Ai-je joué au sorcier en vain ?

Je passe la porte, abattu comme un perdant. Les têtes se tournent vers moi.

— Nicolas, si tu parlais à ton père ? demande mademoiselle Marie, la maîtresse des tout-petits.

Seul un miracle pourrait convaincre papa de ne plus déneiger Wapitico. Je cherche les mots pour le lui dire quand, soudain, une idée fulgurante, merveilleuse, enfantine, me traverse l'esprit.

— Construisons, pendant la nuit, un immense ours polaire qui bloquera l'entrée du village.

Les villageois me regardent tous comme si j'avais parlé inuktitut. Puis, la voix de mademoiselle Marie s'élève au-dessus des têtes.

— Je te reconnais bien là, Nicolas. Plus astucieux qu'un lutin facétieux.

— Oui, c'est *la* solution ! Façonnons une grande bête d'hiver qui repoussera les déneigeuses, enchaîne Anatole.

— Et si nous nous y mettons tous tout de suite, poursuit le facteur, au matin, nous l'aurons terminée.

— Qu'attendons-nous, alors ? demande la pharmacienne en mettant sa tuque.

Je savoure ce moment magique. Moi, Nicolas Desrosiers, avec mes rêves et une pincée de sucre, j'ai soulevé un tourbillon de folie au cœur de l'hiver.

Je rêve éveillé : nous allons repousser les lionnes d'acier.

Nous avons travaillé dans le plus grand silence possible. Au lever du soleil, nous avons les pieds glacés et le nez gelé. Les cheveux couverts de frimas, nous grelottons, mais nos cœurs battent à l'unisson.

Ils cognent davantage lorsque nous entendons le rugissement des déneigeuses fonçant sur Wapitico. Nous les regardons avancer par la gueule de notre ours gigantesque, que nous avons fait solide ; mais résistera-t-il aux dents d'acier ? Nos souffles, condensés par le froid, s'échappent par la bouche de notre animal de garde. En sera-t-il plus impressionnant ?

— Êtes-vous tous prêts ? demande grand-père, retrouvant l'air espiègle qu'il devait avoir dans sa jeunesse.

— À l'attaque! enchaîne son complice Anatole, imité par les alliés de la nuit magique. Nous sommes unis et prêts au combat, bien installés dans le ventre de la bête.

— Un, deux et… trois! lance grand-père.

En un instant, nous sortons tous en même temps. En un éclair, une myriade de boules glacées s'élancent dans les airs. Un millier de balles de neige, en signe de protestations givrées, s'abattent sur les machines.

Les déneigeuses s'éloignent dans un bruit d'enfer.

— Ne partez pas! crie papa, arrivé tout essoufflé, les jambes plus écartées que jamais sur ses raquettes.

Ses supplications ne servent à rien, les appareils se trouvent déjà bien loin. Nous savourons notre triomphe.

— Êtes-vous tous devenus fous ? nous demande papa.

Il a l'air plus affolé qu'un renard traqué. Grand-père tente de le rassurer.

— Fous ? Oui, nous nous sommes amusés comme des fous.

— Que vous arrive-t-il ? N'auriez-vous pas été fiers d'être les premiers de la région à émerger d'une tempête ? lance mon père. Nous serons dorénavant la risée du canton !

— Je crois plutôt, dit le boucher, que nous ferons envie à tout le pays.

— Moi aussi, j'ai envie, dit Léon, le plus petit des tout-petits de mademoiselle Marie.

Nous éclatons de rire, sauf papa qui grogne qu'il va démissionner.

***

Une année est passée. Papa est demeuré fidèle à son poste, mais maintenant, il est plus fier que jamais de son village enneigé. Wapitico est devenu très populaire. Nous accueillons des milliers de visiteurs curieux qui viennent admirer la perle blanche des montagnes. Qu'ils viennent en traîneau, en raquettes, en ski ou en canot. Ou, s'ils préfèrent, en brouette, sur roulettes ou sur un taureau.

Mais malheur à celui qui ferait gronder un moteur. Notre ours veille sur l'horizon et repousserait toute intrusion.

Table des matières

Roxane Turcotte

Montréalaise, Roxane Turcotte est diplômée universitaire en sciences de l'éducation et en histoire de l'art. Conseillère pédagogique, conceptrice de matériel didactique et enseignante, elle publie depuis 2002.

Parallèlement à ses tâches de pédagogue, elle partage son amour de la littérature jeunesse avec tous ceux et celles qui croient au plaisir de lire et d'écrire : les enfants, les enseignants, les étudiants adultes et les parents. Elle en exploite toutes les facettes : l'écriture, la lecture animée jusqu'à la mise en scène. Le conte trouve aussi sa place au sein de ses outils pédagogiques auprès d'adultes en alphabétisation. Dans cette optique, au sein de la Commission scolaire de Montréal, Roxanne Turcotte a développé le cours *Lire et mieux parler*. Elle réalise annuellement une cinquantaine d'animations dans les écoles primaires et les bibliothèques du Québec et de France où elle réside de mai à septembre. Son entrain est contagieux. Elle a été finaliste en 2006 au prix Bravo de la Commission scolaire de Montréal pour sa contribution remarquable dans l'exercice de ses fonctions et du développement de la littératie.

Anouk Lacasse

Fière de mes origines, et passionnée du dessin depuis mes jeunes années, l'idée d'en faire une carrière se précise alors que je commence mon parcours avec de DEC en Arts Plastiques au Cégep de Trois-Rivières. Par la suite, j'ai suivi une formation de 3 ans au Conservatoire d'Art Dramatique de Québec au programme de Scénographie, ce qui m'a amené à me perfectionner, à stimuler ma passion pour la conception de personnages de décors, en plus de me permettre d'approfondir ma compréhension du contexte dans lesquels ils évoluent. J'ai flâné pendant quelques années dans des ateliers de modèles vivants, et j'ai fais du portrait pendant 5 ans sur la rue Ste-Anne dans le Vieux-Québec. Depuis plusieurs années, je n'ai cessé de peaufiner ma technique, à nourrir mon imaginaire et à raffiner ma pensée créatrice.

www.anouklacasse.ca

Achevé d'imprimer
en décembre deux mille quinze, sur les presses
de l'imprimerie Gauvin, Gatineau, Québec